Narratori ⟨ Feltrinelli

Erri De Luca
La musica provata

© Giangiacomo Feltrinelli Editore Milano
Published by arrangement with Susanna Zevi Agenzia Letteraria, Milan
Prima edizione ne "I Narratori" settembre 2014

Stampa Nuovo Istituto Italiano d'Arti Grafiche - BG

ISBN 978-88-07-03103-8

razzismobruttastoria.net

La musica provata

Staffa

Staffa è il nome del più leggero e piccolo osso del corpo umano. Sta nell'orecchio e dalla sua cavità passa il sonoro.

Altri ossicini accanto hanno nomi di arnesi: incudine, martello. L'ascolto è più officina che sala da concerto.

Poi il suono attraversa una serpentina di nome labirinto, trova l'uscita e arriva al cervello, fine della corsa. L'ascolto è un'onda che non torna indietro.

Nel corso di lavori scassatimpani ho potuto isolarmi. Nell'osso labirinto del mio orec-

chio vive un Minotauro che sbrana i frastuoni.
Ma se una musica viene da fuori o da dentro,
allora le lascia il passaggio, che vada a scorraz-
zare per il cranio.

Premessa

Stefano Di Battista, sassofonista giramondo, mi ha chiesto tramite l'amico Michele Afferrante una scrittura da mettere in musica. Stavo raccogliendo pagine per un nuovo libretto di poesie, ma nessuna delle pronte era adatta. Una sera, in una città di mare mi è venuta una pagina sul Mediterraneo, *Essere di Medit*. Era quella giusta e l'ho trasmessa a Stefano.

Pochi giorni dopo mi ha chiamato per farmela sentire, musicata da Maurizio Fabrizio e cantata da Nicky Nicolai. Quella pagina si era trasfigurata nelle onde sonore di una mareggiata musicale. Aveva dentro un crescendo di maestrale. È uno di quei casi in cui le mie orecchie diventano vele e si drizzano.

Ne è seguita un'altra, *Vi va l'Ita'*, terrestre, da tarantella in piazza.

Così è iniziata anche un'amicizia con lui e Nicky.

Così è anche iniziata la spinta a scrivere un raccolto dei canti e delle musiche arrivate a immischiarsi della mia vita.

Un albero può essere contato sui giri concentrici del tronco. Una persona può essere raccontata dai dischi, cd e supporti vari che hanno girato intorno al suo ascolto.

Cantami, o Diva, del Pelìde Achille/ l'ira fu-nesta. Inizia così l'*Iliade* nella traduzione di Vincenzo Monti, che ho studiato al liceo. Monti non conosceva a sufficienza il greco e si servì di traduzioni in latino. A scuola s'imparava pure la strofetta ironica del rivale Pindemonte, che lo definì: *Vincenzo Monti cavaliero/ gran traduttor dei traduttor d'Omero*.

La memoria ha dei puntigli irritanti: perché non posso disfarmi di questa cianfrusaglia scolastica? Perché sono costretto a ricordare perfino *Finché la barca va lasciala andare*?

Non c'è modo di premere il tasto "cancella".

Ho ripreso in mano il vecchio vocabolario

di greco del liceo, pietosamente rilegato da mia madre prima che perdesse altri fogli allentati. Ho voluto controllare l'attacco dell'*Iliade* nella lingua di Omero e ho potuto verificare che, almeno con il primo verso, Vincenzo Monti cercò una fedeltà, senza aggiunte o mancanze.

Mi piace il verbo *Cantami* messo in apertura di poema, anche se in greco è la seconda parola, *àeide*.

Cantami: è un bel tu, schietto, come si usa tra divinità e mortali.

È commovente per me che Omero si dimetta subito dal rango di autore: *Cantami dea*. È lei l'autrice del canto. Lui sarà il copista, il redattore. Lui sarà il ripetitore. Di fronte all'umiltà di Omero ogni vanagloria d'autore è uno sberleffo. Il poeta è chi si mette all'ascolto di un canto.

Ne può trascrivere le parole, ma la melodia? Il greco di Omero s'incarica della supplenza, fa sentire la musica, riesce. All'origine della comunicazione c'era il canto e la replica di un coro.

In queste pagine la musica è muta, un ricordo mischiato alle cose domestiche e selvatiche della vita svolta.

Ho avuto un'infanzia involontariamente musicale. Napoli suonava su strumenti a corda e risuonava cupa, effetto di grotte e cavità del sottosuolo scavato, crivellato. La sventrarono fin dall'epoca dei suoi fondatori, i greci, che inaugurarono l'estrazione del tufo, pietra vulcanica docile al taglio, buon assorbente di scosse sotterranee. Il tufo ha una sua acustica sorda in cui le grida si sfibrano, ma i sospiri si espandono.

Napoli è buccia della sua cottura. Il suo golfo ha forma di tarallo, perché il tarallo è avanzo dell'impasto del pane, e cotto insieme. Il vulcano ha la gobba di mandorla tostata. A spasso sul lungomare il cittadino si sente granello di pepe dell'insieme.

Napoli sta sospesa sopra camere d'aria, a vederla da un punto di vista geologico è una mongolfiera, incerta tra una spinta a salire al cielo e una controspinta a sprofondare in terra. Napoli fluttua, anche se un suo proverbio dice che l'acqua è poca e la papera non galleggia. Queste forze producono suoni che hanno educato l'orecchio musicale degli abitanti. Napoli è uno strumento a percussione battuto dall'interno.

La scienza cerca nei calcoli le regole che governano il pianeta. A Napoli s'impara che la macchina mondo è un'orchestra musicale. S'impara a andare a tempo, stare in una partitura. La tarantella imita l'effetto del suolo che traballa sotto scossa. Ammansisce il panico riducendolo a danza.

Gino Castaldo, migliore competente di musica moderna, mi ha raccontato che tra le due esecuzioni delle *Variazioni Goldberg* di Bach, suonate da Glenn Gould ci sono ventisei anni e circa venti minuti in più. La stessa partitura ha subìto variazioni di temperatura e di temperamento da parte del pianista. La seconda esecuzione si avvicina a un requiem. Anche chi legge lo stesso libro a distanza di anni ci passa sopra con diversa andatura e altri sentimenti. Il *Chisciotte* da ragazzo mi commuoveva per le sconfitte spietate sofferte dal cavaliere sgangherato. Da ragazzo mi riguardavano le sue cadute.

Molti anni più tardi mi ha rallegrato la sua indomabile volontà di risorgere dai rovesci. Nella nuova lettura mi aiutò l'aggettivo "invincibile" applicato a Chisciotte dal poeta turco Nazim Hikmet. Mi rivelò che invincibile è chi si solleva da terra per battersi di nuovo e a oltranza. Nella seconda lettura di Chisciotte mi riguardavano le sue resurrezioni.

Come una partitura spetta a chi la suona, così il libro è del lettore, affidato alla sua irripetibile esecuzione.

Vengo da una geologia che si modella su eruzioni, terremoti, bradisismi, tra solfatare e laghi vulcanici, dove il suolo esala il soffritto di zolfo. A sua imitazione, dalle cucine a Napoli escono sublimi le fritture. Mia madre friggeva mozzarelle in carrozza che cantavano in bocca. Vengo da questo arrangiamento musicale della mia superficie meridionale e terrestre.

Ero stonato, una delle mie tante inadempienze verso il luogo d'origine. Questa però era considerata un oltraggio e un vilipendio da parte di mia madre. Un figlio stonato era inconcepibile per lei. Ci fosse stata all'epoca l'analisi del Dna, me l'avrebbe imposta per accertarsi che non c'era stato scambio in culla.

Avevo anche i piedi piatti e per la durata della mia crescita ho dovuto camminare su plantari di ferro, come un Pinocchio passato in ferramenta. Mia madre applicò la stessa strategia d'urto contro il deficit musicale. Mi costrinse a cantare fino all'eliminazione fisica del guasto. Oggi sono intonato, anche se un orecchio esercitato può accorgersi che qualche volta inciampo in una insufficienza, detta in gergo "calante".

In principio furono canzoni napoletane, classiche, cioè di autori defunti. Quelli viventi erano evidentemente sospetti, non ancora assolti dal tribunale dei posteri.

Sono stato iniziato a un repertorio sconfinato di solfeggi e strofe dialettali. Sono stato avviato alla strimpellatura di una chitarra classica, opera di Calace, vecchio mastro liutaio che la costruì su ordinazione di mia madre nel 1964. A istruirmi senza speranza provvedeva un eccellente maestro, Eduardo Caliendo, che è stato il chitarrista di Roberto Murolo, l'interprete migliore, per me, della canzone napoletana.

Paola Porrini mi ha fatto ascoltare *Luna rossa* cantata da Caetano Veloso e credo che non sia superabile.

A mia madre, molto più modestamente,

riusciva gradita una mia esecuzione di *Era de maggio*.

In qualche sera musicale in pubblico ho cantato con mia nipote Aurora *Io te vurria vasa'*, seguita da una mia variante della stessa canzone.

Il maestro Caliendo dopo un anno si accorse che non avrebbe cavato dal mio buco il ragno del chitarrista. Sarei rimasto uno strimpellatore, capace di appoggiare la voce su semplici accordi.

Mio cugino Daniele se la cavava meglio e fu lui a insegnarmi, in un'estate degli anni sessanta, la prima canzone da eseguire da solo. Era la cupa *Aria di neve* di Sergio Endrigo, il più originale dei cantanti autarchici dell'epoca, infelicemente definiti cantautori. Prima di loro le canzoni avevano il testo di un paroliere, la musica di un compositore e la voce di un cantante. Endrigo e gli altri accentrarono in se stessi la trinità delle competenze. Erano uni e trini, insomma autarchici.

Endrigo era originale perché non influenzato dalle musiche dominanti di allora, i folk-singers americani e gli chansonniers francesi. Pescava i suoi riferimenti in Sudamerica, un'esclusiva sua per allora.

Daniele De Luca, Danny, padre di Aurora, è stato il primo che ho conosciuto tra i capaci d'inventare musica e versi di canzone. Gliene ho sentite alcune, sue primizie, che mi hanno aperto la pista per andare da solo. Ho preso da ciò che era suo. Qui denuncio la mia gratitudine. Una sua musica per *Ave Maria* me l'ha regalata.

Non ha voluto iscriversi alla Siae. "Fai tu," mi disse per dannata modestia, e chiuse l'argomento. La mia fortuna è lastricata di persone che l'hanno permessa ritirandosi da qualunque lusinga di ribalta. Hanno considerato la celebrità, grande o piccola, una diffamazione. La sua *Ave Maria* merita un organo di chiesa.

Gianmaria Testa e io chiudiamo le nostre serate insieme con *Camminando e cantando*, una canzone del brasiliano Geraldo Vandré, che fu a lungo proibita negli anni della dittatura. Endrigo l'importò e la tradusse, presentandola con imprevista spavalderia alla trasmissione televisiva *Canzonissima*, abbinata alla lotteria di Capodanno, edizione 1968. *Siamo tutti uguali, chi è d'accordo e chi no*, era il momento e il movimento giusto per cantarla camminando.

Con *Aria di neve* ho raggelato l'atmosfera di qualche accaldata sera estiva. In seguito ho fatto ammenda ripetendo spesso su richiesta *E allora?*, brano di comicità guittesca in uso nell'avanspettacolo napoletano.

Le canzoni napoletane sono state scritte e musicate esclusivamente dal genere maschile locale. Perciò hanno in comune un'infelicissima esperienza amorosa. Nella canzone napoletana la donna è guappa, tirannica, sprezzante, traditrice. Da *Core 'ngrato* a *Malafemmena*, l'innamorato locale finisce sotto i piedi.

Meglio se la cava il canzoniere napoletano quando mischia il sentimento amoroso con l'entusiasmo per la natura. La sua più potente energia è quella del sole: perciò la più famosa canzone napoletana doveva essere: *'O sole mio*. Se ne eseguono di solito due strofe, ma ne esiste una terza dedicata ai vetri splendenti alla finestra dell'innamorata: *Lùceno 'e llaste d'a fenesta toia*.

In qualche serata pubblica facevo seguire una breve pausa a questa affermazione, lasciando il dubbio che stavo per cantarla. Poi rassicuravo che avrei risparmiato i presenti. La notizia suscitava sorrisi di sollievo. Al posto della celebre, dicevo una poesia sul sole scritta da Salvatore Di Giacomo, *'O sole non è d'oro*, e una scritta da me.

La musica della più famosa canzone napoletana e forse del mondo non fu ispirata dal sole sbucato alle spalle del Vesuvio, ma dal sorgere di un'alba sul Mar Nero nell'aprile del 1898. Il suo compositore, Eduardo Di Capua, si trovava a Odessa, insieme al padre ch'era violinista di fila in una tournée teatrale. Quando non era ingaggiato, suonava nei ristoranti di Napoli, faceva la *pusteggia*, come si dice là.

Il violino è leggero, buono da viaggio, da zingari, da esilio e da elemosina.

Per me il Mar Nero appartiene al Mediterraneo, anzi è il suo maggiore contribuente, riversando la sua pienezza nel flusso che scorre a senso unico dal Bosforo all'Egeo. E sono affezionato al sole della città di Odessa attraverso la melodia di *'O sole mio*. Ma pure perché mi sono innamorato da lettore dei *Racconti di Odessa* scritti da Isaac Babel' a inizio di 1900. Davanti a un teatro dove si davano repliche di un dramma siciliano, si vendevano olive, fichi e si cuocevano spaghetti. Quella città di mare è la mia Napoli d'Oriente. Detta Porta di Dio dai suoi abitanti, Odessa sovrasta per me Pietroburgo.

Isaac Babel' riconobbe a Maksim Gor'kij il primato di avere introdotto il sole nella letteratura russa. Ma spetta a Babel' nascere a Odessa, scrivere le più belle storie di quel Sud, essere bambino di quella luce quando un napoletano di passaggio inventò il più commosso inno al sole, un'alba di primavera, penisola di Crimea.

In repertorio di cantanti di tutto il mondo, *'O sole mio* è stata girata ovviamente anche in inglese. *It's now or never*, incisa da Elvis Presley nel 1960, non si occupa di sole ma della richiesta urgente di un bacio all'innamorata: *Tomorrow it will be too late/ It's now or never*, domani sarà troppo tardi, ora o mai più. Il suo gorgheggio e il ritmo swing smerciarono un milione di dischi in un mese. Napoli non rabbrividì, nei negozi di presepi intorno a San Gregorio Armeno si vendeva la statuina di Presley. La città che sapeva rifare i violini Stradivari e gli orologi Cartier non ha dato mai peso al diritto d'autore.

Nel dopoguerra Napoli era una provincia americana d'oltremare. Apparteneva per geografia all'Italia, ma era assegnata alla Sesta Flotta degli Stati Uniti, responsabile militare del Mediterraneo. Era escluso il Mar Nero occupato dalla marina sovietica, che non oltrepassava il Bosforo.

Napoli era sotto giurisdizione americana, il suo porto commerciale era ridotto a un molo, il resto spettava al naviglio grigiochiaro che per mancanza di spazio era ormeggiato all'ancora davanti al borgo marinaro di Santa Lucia. Le barche a vela dei circoli nautici usavano la portaerei e le altre navi americane come gigantesche boe per le loro regate.

Napoli aveva quartieri esclusivi per i militari stanziati e per le loro famiglie con negozi, bar, cinema, e un assortimento di locali notturni per gli sbarcati a mille a mille dalle navi all'ancora.

I marinai a terra avevano il passo da beccheggio dovuto alla lunga permanenza a bordo, combinato al passo da rollio dovuto all'alcol. Mio padre aveva il suo ufficio in un vicolo del porto e gli capitava di abbracciarne al volo qualcuno che stramazzava cotto. Parlava inglese con accento americano e scambiava qualche battuta con loro. Era curioso e chiedeva come prima cosa da dove venivano. Gli piaceva sentire il nome di uno di quegli Stati, uniti a lui da vincolo di sangue.

Gli americani avevano le loro auto esagerate per la misura carrabile delle strade locali. Sul lungomare guardavamo sfilare le Cadillac, le Chevrolet, le Buick, le Dodge, le Oldsmobile, marche leggendarie che sembravano carrozze reali accanto a carretti.

I napoletani, esperti secolari di occupanti stranieri, ne assorbivano quanto era possibile. Al mercato di Resina si potevano comprare i loro panni usati: per qualche anno ogni ragazzo ha desiderato un loro giaccone militare blu scuro da marinaio, dotato di un enorme bavero antivento e di bottoni con l'ancora incisa.

Si potevano comprare i loro dischi, i barattoli di burro di arachidi che per noi bambini erano l'equivalente di un afrodisiaco. Il dolciume nostrano dell'epoca era il surrogato di cioccolato e una gelatina di mele detta cotognata.

A Bagnoli nella base Nato c'era il bendidio del mondo, al quale solo pochi cittadini erano ammessi.

I napoletani si fermavano fuori di un locale con le scritte e le pubblicità americane, da dove uscivano le note di un'orchestrina jazz. Quella musica inventata dai poveri era per noi la musica dei ricchi, del dollaro, moneta di superiorità schiacciante sulla piccola lira. I loro rettangoli verdi, tutti uguali da un dollaro in su, con le facce dei loro presidenti, erano molto più attraenti delle nostre banconote di tagli vari: quelle da cinquemila e da diecimila lire raggiungevano la goffa misura di un fazzoletto.

La musica americana faceva su di noi l'effetto del dollaro sulla lira. I loro cantanti rock relegavano nel passato antiquario i nostri melodiosi ingiacchettati. La musica, il ritmo erano diventati roba loro. Non si poteva entrare in quei locali, erano territorio americano. L'economia di Napoli dipendeva dal contrabbando delle loro merci e dalle rimesse in valuta pregiata degli emigranti.

Pure con tutto questo e questo ancora
io voglio perdonare alla città fumata senza
                                              filtro
cresciuta sopra il vuoto e nel diluvio
della pietra di fuoco del Vesuvio,
ringhio di geologia sentimentale,
di sangue sparso, nervi attorcigliati
nel manico, un'ottava sopra quelli
di tutti i cittadini del pianeta.
Io voglio perdonare la città milionaria
delle vite emigrate, accatastate
dentro le stive della terza classe
che tenevano in corpo la bestemmia
di una speranza sola: "'A patria è chella

ca te dà a mangia'". Se non lo fa,
non è patria né matria,
fa figli di nessuno, orfani in terra.
Io voglio perdonare la città puttana
che apriva 'e ccosce alle divise bianche
della Marina della Sesta Flotta,
alla città venduta all'astinenza
alcolica e sessuale americana,
perdonare di essere pur'io nato là dentro
e d'essermene uscito dopo che mi ha
                              insegnato
a parla' spiccio, cantare erademaggio
a me ch'ero stonato come un bicchiere rotto,
e che dopo imparato, m'ha perduto.
Io voglio perdonare?
La sento la città che mi risponde:
"Vai, trova chi perdona a te,
a me ce pensa 'o viento".

Ho scritto questi effetti personali per il gruppo Letti Sfatti che con Patrizio Trampetti sono venuti a casa a raccontare Napoli a uno che non la calpesta più. Quella città ha prodotto amanti privi di indulgenza, innamorati spietati. Del loro libro e dvd *Questa città* sono stato ospite in carne e ossa, con prevalenza di ossa.

In una scampagnata teatrale di molti anni fa, *Chisciotte e gli invincibili*, insieme a Gianmaria Testa e Gabriele Mirabassi, ho anche cantato una poesia napoletana di Rocco Galdieri, *Mo' ca te si' sanata*, accompagnata da una cadenza musicale.

È il consiglio di convalescenza a una ragazza che voleva ammazzarsi per amore, invitandola a respirare aria di mare, barche, reti, nasse, e ascoltare storie di pescatori di corallo.

Altre volte raccontando migrazioni ho cantato una mia sommessa versione di *Lacreme napulitane*, cavallo di battaglia del massiccio Mario Merola, che l'interpretava con tutt'altra intenzione. Quella lettera di un emigrante, scritta dall'America a sua madre nel 1925, quella corrispondenza ammutolita dalla di-

stanza, lui la recapitava posta celere di persona, non alla destinataria, ma agli spettatori,
ognuno dei quali aveva almeno un parente
scaraventato in qualche nuovo mondo. Anche
l'umile contadino della canzone *'O zappatore*
interpretato da lui diventa un guappo.

Sono rimasto affezionato al repertorio dia-
lettale, ma non sono un cantante abituale.
Canto raramente e dichiaro di non avere mai
cantato in bagno.

Da una mia versione scritta sulla gravidan-
za di Miriam/Maria ho ricavato una canzone,
È solamente mio. Esprime la felicità di ritro-
varsi soli, lei e la creatura, e di avere la notte
tutta per loro due. Nel buio della stalla rischia-
rata dalla luce fredda, al neon, di una cometa,
lei canta: *È solamente mio, è solamente mio/
finché dura la notte lui è solamente mio.*

L'ho portata in giro con mia nipote Aurora De Luca in una scorribanda per teatri, dal
titolo *In viaggio con Aurora*. C'era con noi il

violino di Micaela Zanotti. Le sue quattro corde sotto archetto s'intrecciavano bene con le corde vocali di Aurora. Era musica di due donne che cantavano la notte riuscita di una madre ragazza. Natale è festa sua più che del figlio.

Per un buffo caso familiare mi è capitato in ogni Natale della mia infanzia e adolescenza di intonare canti di montagna, in coro insieme ai cugini. Premessa di quest'inverosimile usanza napoletana era stata la guerra. Mio padre, napoletano, aveva prestato servizio nel corpo degli alpini. Ne era tornato imbottito di cori.

Ho saputo poi dal compagno di scrittura e di esperienze comuni, Mauro Corona, che suo padre montanaro era stato arruolato in Marina ed era pure scampato a un naufragio. Considero le partecipazioni incrociate dei nostri genitori un presagio della nostra amicizia.

Mio padre tornò dalla guerra con una gratitudine per le montagne e con quei canti in testa. Suo fratello anche li amava e così divennero la musica delle nostre sere di Natale, dopo lo scambio dei doni. Invece delle nenie degli zampognari le nostre voci cantavano le trincee sul Monte Canino, altura che a tutt'oggi non so dove si trovi. Mio zio impostava controcanti da maestro cantore, e così da quei cori a volte sgraziati, a volte riusciti, ho saputo che la voce umana è un sofisticato organo musicale.

Qualche sera nella stanza officina di Mauro Corona a Erto ho cantato al suono dell'armonica a fiato suonata da lui. Come l'aveva imparata, gli chiesi la prima volta. La davano di plastica a tutti i bambini.

"A Erto, negli anni cinquanta?"

"Sicuro, era il giocattolo più diffuso."

"Andavate mezzi scalzi, con le toppe alle brache, sfamati da un fornaio che vi regalava il pane e avevate in tasca le armoniche?"

"L'armonica, la fionda e il coltello," aggiunge.

Mauro suona dentro l'armonica delle arie di montagna, io le conosco grazie alle buffe sere di Natale a Napoli e ci aggiungo la voce per acciuffare il suo tono e andare insieme. Faccio con la gola quello che fa il surfista con le braccia, tentando di salire sull'onda e poi scendere insieme. Quando riesco, allora la sua stanza con le sculture di legno, i libri, gli attrezzi e il fuoco nella stufa si mette a vibrare.

Ho letto Derek Walcott perché gli hanno consegnato il Nobel di letteratura. Non ne sapevo niente prima e continuo a saperne poco, perché non sono sbarcato nelle sue Antille. La sua poesia mi ha sostituito la geografia levandomi la curiosità di andarci.

L'ammucchiata di popoli rastrellati dalle coste dell'Africa e dell'Asia per fare da servitù coloniale, la povertà degli uomini e il rigoglio opposto della vegetazione, il mogano e la canna da zucchero, le caravelle, i pirati e la pesca d'altura insieme al culto della Trimurti indiana: Walcott con me si è come raccomandato di non andare a controllare i suoi versi sul posto. Le Antille e la poesia non sono soggette a verifica.

Ma non ho potuto leggere il suo poema *Omeros* in silenzio, che pure mi riesco a procurare ovunque, per buona capacità di isolamento. Mi ha picchiettato dentro il labirinto dell'orecchio il calypso di Harry Belafonte.

Era un disco a 33 giri, in copertina lui con una camicia rossa e i denti bianchi a morso di sorriso. Ero nell'età di transito dai calzoni corti a quelli lunghi. Per gli adolescenti di quel tempo quel cambio erano le Termopili, un passaggio stretto, presidiato severamente dagli adulti. Si aveva diritto ai pantaloni lunghi al compimento dei quattordici anni, o per l'ingresso al ginnasio.

Esistevano già i blue-jeans, ma per uso

esclusivamente estivo. Rigidi e nuovi, si potevano ammorbidire e stagionare nuotandoci in mare.

Il calypso di Belafonte coincise con il cambio. I pantaloni lunghi: impensabile oggi lo spasmo d'importanza e di traguardo che rappresentavano allora per un ragazzino.

Calypso: dal verbo greco "nascondere", chissà come il nome della ninfa che trattenne Ulisse per sette anni diventò il nome del canto di lavoro e di protesta degli scaricatori e dei braccianti delle Antille.

Quei ritmi allegri su parole dure sparigliavano le canzoni ascoltate prima. Il canto, anche il più amaro, voleva essere festa. *Un bel cesto di banane mature/ nasconde la mortale tarantola nera* dice l'opposto della musica spensierata di *Banana boat song*.

La spavalda musica di *Matilda* narra la fregatura di un marito tradito: *Matilda she take me money and run Venezuela*, sventura affine a

quella del novello sposo di una canzone napoletana, che il giorno dopo le nozze denuncia la
scomparsa della moglie e del portafoglio: *e se
ne fuie con tutt'o funno 'e cassa.*

La mia preferita era *Jamaica Farewell*, che
imparavo a pizzicare sulla chitarra. *Sad to say
I'm on my way/ won't be back for many a day*:
la rima di "way" con "day", strada e giorno,
suggerisce l'incontro tra un luogo e un tempo.
Per me Ischia conteneva questo appuntamen-
to. Per tre mesi d'estate il "day" coincideva
con "way", il giorno era anche la via di andiri-
vieni tra la casa e il mare. L'unità tra di loro
succedeva scalza sulla pietra, fresca all'andata
e rovente al ritorno.

Masticavo il pomodoro schiacciato, condi-
to sul pane e olio dalle dita salate di salmastro.
Staccavo cozze dagli scogli, le aprivo e le offri-
vo. Mi toglievo le spine dei ricci con una pin-
zetta. Il mare era miele selvatico e pungeva.

Nei nove mesi di città la voce un po' velata
di Belafonte aggiungeva un grumo di nostalgia
al mio ascolto. A quell'età le mie Antille stava-

no sull'isola d'Ischia. Le sue spiagge sono state i miei Caraibi sufficienti.

Nel 1962 Belafonte ebbe tra gli orchestrali di un suo disco anche un primo Bob Dylan. Derek Walcott non credo che abbia mai nominato il cantante che ha divulgato la musica delle Antille. Forse la ritenne addomesticata e a uso di cartellone turistico. Per me è stata la più fragrante musica da ballo, tra le rare che mi abbiano dato la tentazione di seguirla in pista. Tentato e basta, il mio corpo resta renitente alla leva della danza.

Scarso in tutti i generi musicali, sono analfabeta in quella classica. Mio padre aveva dischi a 33 giri con le incisioni delle sinfonie di Beethoven dirette da Arturo Toscanini. Ricordo la copertina della Terza, l'*Eroica*, con Napoleone in sella a un bianco cavallo impennato.

Di sera si metteva a leggere un libro con quella orchestra intorno. Non sono capace di applicarmi a qualcosa mentre va una musica. Ne resto imbottito più che assorto, non la posso usare da sottofondo. Se me la piazzassi nelle cuffie come fanno quelli che vanno a correre, inciamperei. Perciò di rado accendo intorno a me una fonte di musica.

A mia madre piaceva la lirica, nella sua casa di bambina le arie delle opere si eseguivano al pianoforte. E mia nonna ebbe il piacere d'invitare a casa Enrico Caruso, che fu negli esordi aiutato dalla famiglia. Prima della sua partenza per l'America venne a cantare a casa. Mia nonna ricordava che al suo Do di petto tremarono i lampadari al soffitto, sgomentando chi, incredulo, si spaventò di una scossa di terremoto. Da noi i lampadari oscillano di solito per causa sismica e non musicale.

Mia madre preferiva l'*Andrea Chénier*, ne cantava a bassa voce *Come un bel dì di maggio*. Non la seguivo, né riuscivo a stare più di cinque minuti accanto a una sinfonia. Mi agitavo e dovevo spostarmi. Ho imparato diversi alfabeti, ma non so leggere uno spartito.

Andrea Chénier, poeta decapitato a trentun anni durante la Rivoluzione francese, è stato il primo avviso del rischio mortale collegato alla poesia. Il secondo avviso fu la fucilazione di García Lorca nella Guerra civile spagnola. Poi il 1900 si è specializzato in prigionie e condanne a morte di poeti.

Un compositore di musica moderna, lo spagnolo Fabián Panisello, ha scritto una partitura musicale su un mio libretto. La sua richiesta veniva in occasione di un anniversario di Giuseppe Verdi e doveva almeno sfiorarne un tema. Per contrasto al *Requiem* ho scritto una Resurrezione, armeggiando intorno al capitolo 37 del libro del profeta Ezechiele, dove si svolge la più potente scena di massa di un ritorno alla vita, in una vallata di ossa disseccate e sparse. Dai quattro angoli dell'orizzonte si avventano turbini che ricompongono i corpi. Quel capitolo ha l'energia del finimondo ma in direzione opposta: catapulta in vita.

La mia versione ha per titolo: *L'officina della Resurrezione*.

Sotto la direzione dello stesso Panisello ho assistito a un paio di robuste esecuzioni, con strumenti a arco lanciati sulle frasi a imitazione del vento sulla valle dei corpi. Una voce maschile scandiva lo sgomento del profeta di fronte all'enormità. Ho avuto l'impressione che le mie parole fossero usate come un'arpa eolica suonata dal vento. È un'antica macchina musicale piazzata in cima a un luogo ventoso. Ne ruba energia per ricavare un suono. Sulle nostre alture si rizzano pale a vento per produrre elettricità. Ci starebbero bene anche un po' di arpe eoliche per tradurre in musica il vento.

Negli anni sessanta si diffuse la ricerca di canti popolari. In casa da un grammofono Grundig, primo stereo, uscivano alla velocità di crociera di 33 giri al minuto le voci di chi li raccoglieva e li riabilitava. Erano di lavoro, di lotte sindacali, serenate e ballate. Mischiavo nell'ascolto *Addio Lugano bella*, canto di anarchici espulsi dalla Svizzera, con lo scherzoso cabaret dei Gufi e con le strofe della periferia milanese cantate da Ivan Della Mea.

Ma mi, il racconto del partigiano torturato nel carcere di San Vittore per fargli denunciare i suoi compagni, è stato il manifesto della lealtà dovuta. *Mi sun de quei che parlen no*, sono di quelli che non parlano. Molti di noi di allora hanno onorato il vincolo e il sentimento della lealtà.

Dall'estero arrivava in casa la nuova canzone francese, spinta dai nomi di Brassens e Brel, modelli d'ispirazione per gli esordienti Paoli e De André. Mio padre faceva gli acquisti, era lui l'aggiornato. Da lui ricevetti il primo doppio album di uno che dovevo, secondo lui, farmi piacere. Era la nuova voce dell'America. Del Nord, precisavo io che non volevo assegnare agli Stati Uniti l'intero continente, dal Labrador allo stretto di Magellano. Sì, va bene, del Nord, ammetteva lui, poco interessato alla mia precisazione.

Era figlio di un'americana e l'America per lui era una sola e rappresentata da una sola bandiera. Era figlio di sua madre Ruby Hammond più che di suo padre Adolfo De Luca, morto quando lui aveva tredici anni. Si sentiva un po' più americano che napoletano. Ma c'era il fascismo e l'America era proibita. Così quando venne la guerra mio padre si arruolò nel corpo degli Alpini, spediti sul fronte orientale, per non dover combattere contro il suo stesso sangue.

Invece l'Italia da noi era parola quasi niente usata. Da bambino ho creduto che fosse il nome di una squadra di calcio per la quale ogni tanto ci si entusiasmava. Giocava di rado e molto meno della squadra del Napoli, che aveva comunque la precedenza. Più tardi l'Italia fu per me un'espressione della geografia, la più bella e felice del Mediterraneo.

Una sera in mezzo agli anni sessanta mio padre arrivò dunque con il doppio disco di un giovane cantante americano di nome Bob Dylan. Dovevo farmelo piacere e ci provai, senza riuscire. Ascoltavo a oltranza *Memphis blues again*, che ancora oggi sta da qualche parte dell'orecchio interno, come un portone arrugginito che stride all'apertura.

Preferivo i francesi. Però quella voce acida e strappata, uscita da corde vocali di rame anziché di budello, prendeva a contropelo tutte le melodie ascoltate prima. Era il suono di un fischio generale alla generazione. Fischiava di affacciarsi alla finestra, istigava a perdere la via di casa e incamminarsi con fagotto in spalla. *The times they are a-changin'* era la via di uscita, metà fanfara e metà tarantella, metà festa e metà sbaraglio.

Intorno suonavano gli anni sessanta e i ragazzi si avvitavano su se stessi ballando il twist dei Beatles. Con Dylan non si ballava, si stava in mezzo alla strada.

In uno dei viaggi da autista di convogli nella guerra di Bosnia un amico che mi dava il cambio alla guida aveva portato con sé qualche pezzo di Dylan. Mentre viaggiavamo in quella guerra sparpagliata ovunque, la sua voce cantò *Shelter from the storm*, riparo dalla tempesta. E fuori ce n'era una. Allora alzammo al massimo il volume e in quella cabina di guida siamo stati più rumorosi della tempesta che avevamo intorno.

Con Dylan mio padre aveva introdotto in casa il morbo che l'avrebbe intossicato. E quando ebbe l'infarto e quando me ne andai di casa, mi portai dietro al posto di "buon viaggio" la maledizione di chi mi gridava che così uccidevo mio padre. Quelle parole inferocite, fissate a caldo nella cera o cerume delle orecchie, sono rimaste lì, ormai sfinite dalle ripetizioni dentro i sonni e in veglia, ridotte a ritornello. Niente di quello che ho combinato in vita ha potuto estinguere quella maledizione lanciata a profezia.

La lettura di Kerouac, *Sulla strada*, aveva completato l'istigazione a scavalcare l'uscio della casa e a non tornarci. Forse ci fu anche qualche film, aggiunto alla decisione come lo spago che dà l'ultima stretta al bagaglio. *Easy Rider* e *Morgan matto da legare* sono un paio di titoli rimasti più nelle viscere che nell'essiccatoio della memoria.

Anche il libro di Kerouac l'aveva portato in casa lui, mio padre, fresco di stampa. L'aveva letto e poi me l'aveva dato.

La musica degli inizi la devo a mia madre, tutto il resto è opera di contagio diffusa dagli acquisti e dalle scelte offerte da lui. Da qualche parte ho scritto di aver ricevuto l'educazione di un porcospino, che offre alla prole ogni specie di nutrimento, incluso il velenoso. Così mentre l'espone al massimo pericolo anche ne promuove le difese immuni. Mio padre alla rinfusa mi ha fornito le parole e gli attrezzi della mia disobbedienza. Ha dato al mio temperamento taciturno l'abbondanza del vocabolario.

La camicia che si è strappato, come a squarcio di petto, la sera che non tornai, lasciando casa, studi, città e futuro, se l'era cucita su misura.

Ma ora torno alla musica provata. Lasciato il parapetto del balcone con la casa dietro, mi avviavo all'azzardo d'inventare il tempo ora per ora. La libertà era spaventosa, la marcia in un deserto. La libertà era il niente di passi che non sapevano dove né invece.

Mi ero tolto i plantari di ferro dalle scarpe e mi forzavo a cantare un addio a tutto il tempo precedente. Era un miscuglio di *Vecchio frac* di Domenico Modugno e di *Farewell Angelina* di Joan Baez. Era patetico e ridicolo insieme, combinazione che sta dentro i gesti avventati e senza calcolo.

Sarei stato un disperso, uno da marciapiede, se non fossi stato coetaneo fortunoso di una generazione uscita dalle case e dai ranghi. Aveva disceso in massa il gradino profondo che separa il marciapiede dalla sede stradale e se ne stava piantata in mezzo alla carreggiata a battere con le sillabe e i passi il ritmo sincopato della sua disobbedienza generale. *Tatà-tatatà-tatatata-tatà, ce n'est qu'un début, continuons le combat* (non è che l'inizio, continuiamo la battaglia), le sillabe rap della rivolta di maggio '68 in Francia si erano sparse a latte versato da una pentola dimenticata sul fuoco.

Negli anni sessanta del 1900 le rivolte degli studenti americani contro la guerra in Vietnam facevano contagio presso altre gioventù coetanee. La prima manifestazione alla quale ho preso parte aveva il titolo di quel remoto paese d'Indocina. Era il '67, a Napoli, e l'incontrai per strada. La seguii fino al consolato americano, un edificio bianco sul lungomare. Dal corteo partì un lancio, una bottiglia piena di anilina che colorò di rosso la facciata. La polizia attaccò, presi la prima randellata politica su una spalla.

Ho incassato e restituito in vita mia solo botte politiche. Non ho fatto risse per un amore o per uno sport, per una lite da automobilista o per pienezza alcolica. Ho un sistema nervoso sensibile solo al callo politico pestato.

La gioventù americana cercava di non farsi trascinare nel turno maledetto di servizio nel Delta del Mekong. Si batteva a legittima difesa. In quelle paludi si chiuse addosso a loro la peggiore trappola del dopoguerra americano. Finì con il decollo dell'ultimo elicottero dal tetto dell'ambasciata Usa di Saigon, nella primavera del '75.

In patria quella gioventù, insieme ai neri americani, cantava *Where have all the flowers gone*, la canzone fatta da quel suonatore di banjo vagabondo, Pete Seeger.

Di altri è giusto usare verbi come scrivere, comporre, riguardo alle canzoni. Lui le faceva, le impastava con la polvere delle praterie, con la pioggia degli uragani, con la paglia dei treni merci. Ne uscivano dei recipienti che contenevano la misura della giustizia. Mentre raccolgo queste note lui muore.

Ha cantato *We shall overcome one day.* Succede che i canti, più delle profezie, si avverano. Dipende dal fatto che la voce del profeta è solitaria, mentre l'altra è di una comunità in cammino.

Al seguito di questa generazione scesi dal marciapiede e andai per la sua strada a senso unico di marcia. Chi si voltava indietro per tornare sui passi commetteva contro se stesso il torto di escludersi.

Aveva un vantaggio sulle generazioni seguenti: era fisicamente maggioranza. Noi nati in dopoguerra eravamo il risultato dello slancio a ripopolare, che usa l'amore a rimborso delle perdite. Perciò eravamo assai, al punto che il servizio militare obbligatorio non ce la faceva a assorbirci tutti e molti venivano congedati per "leva eccedente".

La forza numerica di quella gioventù, unita alla scuola di massa, creò una generazione di ribelli attivi e consapevoli.

Racconto questi effetti personali perché quella gioventù coetanea inventava un'altra musica e tutt'altre parole. Erano canti di battaglia, serravano i ranghi a gola tesa per non farsi disperdere dalle truppe. S'infervorava di caparbietà cantando nella nebbia dei gas lacrimogeni. Non nomino nessuno di quei canti. Stanno nel repertorio di un tempo scaduto che si è fatto scandire l'andatura dalla propria musica prima di ammutolirsi. Declino per solo esempio le generalità di una voce, anzi del vocione di Pino Masi, da Pisa, che incideva dischi a bassa qualità sonora e alta intensità corale.

Me ne ripeto le strofe, me le canticchio quando sto in autostrada e ho da smaltire i chilometri. Hanno parole aspre e musiche a regime di torrente, mi saltano in gola insieme al mucchio delle altre nominate prima. Sono il mio catasto musicale, appiccicato alla vita svolta come una mosca sul naso del bue. Mentre quello ara, lei ha l'aria di dirgli dove andare. Devo questa immagine a Massimo Menna, pastaio di Gragnano.

Di recente mi è successo di dover camminare su stampelle per riabilitarmi dopo un intervento all'anca. Ho la buona sorte di abitare su un campo e vado su quello in lungo e in largo per qualche ora al giorno. I passi raddoppiati dagli appoggi artificiali hanno prodotto un ritmo e un paio di ricordi musicali. Occhi a terra a controllare il suolo e testa vuota, come spifferi sono arrivate, chissà perché quelle, le strofe di *Wonderful tonight* di Eric Clapton e quelle di *Jingle bells*. Natale era scaduto e la *beautiful lady* della canzone non era nei paraggi. Senza una spiegazione sono andato con questi ritornelli a calcare i miei passi stentati finché non si sono assestati, liberandosi dei sostegni.

Quel paio di canzoni, indisturbate dall'umido del campo e dal freddo di gennaio, mi hanno suonato i passi e mi hanno sbrigato il risanamento. Se la musica serve a far venire più uova alle galline e più latte alle mucche, può ben servire a far trottare diritto uno sbilenco operato all'anca.

In una vecchia canzone napoletana la ragazza volubile cambia l'innamorato ogni stagione. Gli abbandonati si ritrovano sotto il suo balcone a farle serenate rassegnate. Sono diventati col tempo un'orchestrina. Al preferito di turno raccomandano d'imparare uno strumento musicale perché dovrà presto aggiungersi a loro: *che s'imparasse nu strumento/ c'adda suna' cu nuie l'anno venturo.* L'amore nella canzone napoletana mescola all'infelicità gli effetti comici.

Una per tutte la canzone di Ciccio Formaggio, spasimante messo in ridicolo dalla spasimata con una raffica di scherzacci, ultimo dei quali è una scritta a gesso sul retro del soprabito *Cicci', si' fesso.* Il ritornello dello strapazzato replica sconsolato: *Si me vulisse bene veramente, nun me facisse (faresti) sfruculia' d'a gente.*

In un mio racconto c'è una serenata. Un innamorato commissiona a un giovane chitarrista un'esibizione romantica sotto un balcone notturno. La serenata ottiene l'apertura. Qualche volta ho avuto l'intenzione di usare una schitarrata per candidarmi a un sorriso di donna.

Ma poi mentre cantavo abbracciato alla cassa di abete, stringendo accordi sul manico di mogano, ecco, dimenticavo a chi volevo estorcere la preferenza. Mentre suono e canto qualcosa, mi viene di chiudere gli occhi e quello che ho intorno, davanti, sparisce sfumato. Invece di procurarmi la vicinanza immaginata prima, mi chiudo in una distanza, quella di quando scrivo. Dimentico presenze.

Ovunque mi trovi a suonare e cantare qualcosa, mi ritrovo nella cucina della casa sul campo, vicino al tavolo di assi di pino canadese, sotto la stesa di etichette di vini, appiccicate sulle mattonelle. Sto in una delle mie sere brevi tra la cena finita e il sonno pronto. Ho lavato il piatto e le dita sono umide. La cucina avvolge la mia voce e quella della chitarra.

A occhi chiusi mentre canto ho tutte le mie età riunite, dal ragazzino che arpeggiava *Aria di neve* al praticante incallito di alpinismo che con il dito anulare rotto in parete e accorciato dalla frattura scomposta, non arriva a pizzicare bene la corda del Mi cantino e suona, se possibile, peggio di prima.

A occhi chiusi e voce riscaldata giro per le mie età in avanti e indietro, insieme alla mano sinistra che va su e giù per accordi sopra il manico. Il tempo in quei minuti è una tonalità, dove il Do non è più antico del Si e dove i diesis e i bemolle sono cavalli a dondolo.

Quando risollevo le palpebre è ora di salire al soppalco e spegnere la luce.

Al tavolo della cucina si sono sedute a cantare, per mia madre e per me, alcune persone da tenere abbracciate in mezzo a queste note. Izet Sarajlić, poeta di Sarajevo, dopo la guerra di fame e di assedio della sua città è venuto in Italia per continuare a parlare di poesia. Sapeva un po' d'italiano, imparato da Mario, un soldato dei nostri, spedito dal fascismo al seguito delle invasioni naziste. Mario portava a casa loro cibo della dispensa e un poco d'italiano, anche cantato. Perciò Izet, all'epoca ragazzo, sapeva: *Non ti potrò scordare piemontesina bella/ tu sei la sola stella che brillerà per me*, canzone tra le prime fissate dalla radio nel mio cranio infantile.

Durante l'assedio l'Italia era per lui quel martello rosso che sta nei mezzi pubblici e serve a rompere il vetro in caso d'emergenza. Pensare all'Italia gli permetteva d'impugnarlo e di aprirsi una via d'uscita dalla Bosnia in fiamme.

Izet seduto sulla mia panca di cemento attaccava con il suo slancio di slavo del Sud: *Oči čёrnye, oči strastnye*, occhi neri, occhi appassionati. So che le mie mura di pietra vulcanica sono assorbenti. La voce di Izet è incisa in loro e l'ascolto coi gomiti sul tavolo. Lui ha un bicchiere di vodka davanti e riempie la mia testa con il suo canto, qualche sera d'inverno scarsa di sonno. C'entra il fuoco che spiffera nel camino, il vetro dei bicchieri, il legno del tavolo, c'entra la materia che mi avvolge.

In diverse occasioni è passato Gianmaria Testa. Mia madre gli chiedeva di cantare *Miniera*, una canzone degli anni trenta, una delle rare che si occupano di minatori.

Cielo di stelle, cielo color del mare/ tu sei lo

stesso cielo del mio casolare: Gianmaria su pochi arpeggi di chitarra pizzicava giusto il nervo della nostalgia di mia madre.

La sua versione è opposta a tutte le precedenti, una per tutte quella di Claudio Villa che impegnava le sue corde vocali senza risparmio di volume.

Miniera, di Cherubini e Bixio, è tra le poche canzoni che mi congiungono alla metà del 1900 in cui non c'ero ancora.

Un'altra è *Lili Marleen*, soffiata dalla trachea più che dalle labbra di Marlene Dietrich. Le sue parole furono scritte da un soldato tedesco antimilitarista, Hans Leip, nel 1915. Furono musicate da un fervente nazista, Norbert Schultze, a ritmo di lenta marcia militare e furono le ultime sillabe cantate da una gran quantità di gioventù ammazzata nella guerra mondiale successiva. In assolo l'ha eseguita Gabriele Mirabassi nel centinaio di sere che abbiamo raccontato in teatro *Chisciotte e gli invincibili*. Era anticipata da un minuscolo carillon che l'accennava.

Un'altra ancora è la musica di Chaplin per *Luci della ribalta*. Le davano voce le corde del violino di Micaela Zanotti, nelle serate di *In viaggio con Aurora*.

Poco prima della morte di mamma è venuta a cantare per lei, seduta in cucina, Achinoam Nini, nata a Tel Aviv e conosciuta con il nome d'arte di Noa. Lei, e la chitarra classica di Gil Dor che da solo vale un'orchestra, hanno un repertorio di canzoni napoletane. La limpida voce di lei sulle corde gentili di lui faceva chiudere gli occhi a mamma, che seguiva i risaputi versi con un minimo accenno di labbra.

Non l'ho vista pregare, non ha condiviso con me questa intimità. So ugualmente come faceva, per i bisbigli sotto il canto di Noa. Con lei la pietra della cucina si metteva a vibrare di onde sonore e diventava sala di concerto.

In qualche sera di pioggia invito la voce di Leonard Cohen. Non potrà succedere di vederlo seduto dove sono state le altre voci amiche, ma se succedesse gli presterei la chitarra e gli chiederei di cantare: *Famous blue raincoat*.

Ho sentito dire che Bob Dylan è stato proposto per il premio Nobel della letteratura. Il mio candidato è Leonard Cohen.

Reflesciasà: questo buffo titolo è la contrazione italiana del francese *reflechis à ça*, rifletti a questo. Scrissi nel 2000 una breve storia per la musica rock dei Gang di Marino Severino. È il ricordo di una lotta operaia in Francia, quando mi trovai a occupare il cantiere di un imprenditore che non ci pagava il salario. Ci tagliarono la corrente elettrica. Dormivamo sul pavimento, eravamo in quaranta. Era Natale, ma solo per la metà di noi, l'altra era d'Islam. Di quel remoto periodo natalizio, inverno 1982-1983, mi è rimasta la mossa e la voce di un operaio turco, Kemal, che mi disse nel suo cupo francese: *"Erri, reflechis à ça"*. Eccolo.

Reflesciasà

Si chiama Kemal
dalla Turchia, operaio
nei cantieri di Francia
enormi le sue mani
e durante le notti comuni
a occupare un cantiere
per salari mai dati,
a me brusco e nervoso:
"Erri, reflechis à ça"
rifletti a questo
e riunisce le dita
e le poggia alla tempia.

E io sto buono coi pugni
al suo "reflesciasà",
rifletti a questo, a cosa
non so più, però le dita
sulla tempia destra
le so ancora.
Kemal, bisogna avere la tua mano
da mettere sul cranio
per riflettere a un "questo".
Bisogna la tua vita, la tua voce.
Nati da stesso mare
che cambia nome e onde
nessuno segue un altro,
mai sulla sabbia il piede
sopra l'orma davanti.
Però ti ascolto, apro le dita
e disfo l'ira e il pugno.

Sono salito su un palco con Isa Danieli, attrice che è storia del teatro di Napoli. Ha iniziato da ragazzina, è stata nelle compagnie di Eduardo De Filippo e di Roberto De Simone.

Qualche anno fa ha accettato di interpretare mia madre in un cortometraggio da me scritto, *Di là dal vetro*. Da lì è iniziato uno scambio disuguale tra lei e me, che ho potuto pareggiare una sola volta, facendo per lei in mare il bracconiere di ricci.

Ha letto in pubblico pagine mie, qualcuna l'ha cantata.

Sul palco i nostri posti non sono vicini, perché non si deve far finta di stringere i bordi di un abisso.

La sua voce ha viaggiato le ere del teatro, da quello greco antico al contemporaneo. Nel corso del tempo le sue corde vocali si sono inverginate. Oggi raggiunge il timbro segreto delle Sibille, giovani vergini ispirate dalle divinità precristiane a fornire pronostici e responsi.

Carlo Feltrinelli, mio ostinato editore, è un collezionista di concerti di Bob Dylan. L'ha seguito su scala di pianeta oltre cento volte.

All'inizio della nostra conoscenza volle introdurmi alla sua passione e m'invitò a un concerto del suo beniamino. Non frequento questo genere di assembramenti, perciò mi forzai per acconsentire. Il mese era di luglio, la città Napoli, l'orario il tardo pomeriggio, la sede del concerto, catastrofica: sotto un tendone.

Su pancacce di assi qualche migliaio di devoti evaporava già da un'ora prima. Iniziò in

ritardo. I watt, le luci, le amplificazioni au-
mentarono la temperatura a forno di pizzeria.

Trattengo vaghe tracce di una sofferenza
di massa e a pagamento. Per l'effetto con-
densa, dall'alto del tendone piovevano gocce
grosse come mosconi. Contenevano fiati, tra-
spirazioni, effluvi di una folla sottoposta a
spremuta.

L'editore, completamente assorto, stava in
qualche stato di beatitudine. Io spostavo le na-
tiche ossute da una scomodità all'altra giuran-
do a loro due: mai più.

La musica era per sordi, le onde sonore
erano a regime di tempesta. Ammetto che,
non avendo oltrepassato l'uscio di una disco-
teca, ho un sistema acustico primitivo, senza
avviamento ai decibel. Già, i decibel: leggo
nell'enciclopedia che sono un decimo del
"bel", unità di misura in disuso. Non lì: dentro il tendone arroventato il "bel", imperver-
sava per niente decimato, anzi moltiplicato.

Sfondata la capacità di ricevimento, le mie
orecchie erano svenute. Percepivo la musica

alla bocca dello stomaco. Il diaframma, delicato com'è, s'era nascosto tra il fegato e i reni.

Il cantante, per buona sorte, fu avaro e dopo un'ora smise. Ascoltai sgomento le invocazioni di bis da parte di estremisti disidratati. Non vennero accolte.

Uscii a respirare la calura del luglio napoletano, che fu brezza e frescura per i cotti a vapore dal tendone. Mi avventai su qualunque bevanda.

La sensibilità propria dell'editore verso lo scrittore ha evitato da parte sua un secondo invito.

Dopo di allora, al nome di Bob Dylan sudo.

Ho passato molte serate seduto a un tavolo piazzato sopra un palcoscenico a raccontare storie intorno alla figura contagiosa di Chisciotte. A sinistra c'era la chitarra di Gianmaria Testa, a destra il clarinetto magico di Gabriele Mirabassi. Lui si semplifica definendosi pifferaio. Io aggiungo: di quella specie che si trascina dietro, afferrato per le orecchie, il corpo intero di chi lo sta ascoltando.

Gabriele mi ha portato a visitare i fratelli Patricola, fabbricanti di clarinetti, a Castelnuovo Scrivia. In un capannone simile a tanti altri, tra un'officina e l'altra, c'è il loro santuario musicale.

Il clarinetto è di ebano, scuro e spesso, uno dei rari legni che non galleggiano. Lo sgrossano, gli praticano un foro sottilissimo che gli traversa il centro per il lungo, poi lo lasciano riposare per un anno. Nel seguente gli allargano il canale di pochissimo e di nuovo lo ripongono per un anno. Un pezzo di ebano diventa clarinetto in sette anni, stagiona più del Brunello di Montalcino.

Gabriele acquista lì i suoi pezzi unici. Non ne escono due uguali. Nel capannone dei Patricola c'è l'artigianato eccelso e solitario dell'Italia segreta. Gli ottoni che si aggiungono al legno sono tocco da orefici e da orologiai.

Gabriele ha lì la sua patria. I musicisti si

portano dietro la casa, la montano e la smontano come la tenda di un accampamento negli spostamenti da un concerto all'altro. Gabriele è di Perugia, ha lì la sua famiglia. Ma la sua patria sta nel capannone dei Patricola a Castelnuovo Scrivia.

Gli ascolto provare un clarinetto nuovo e il suo fiato è il bastone di Mosè contro la roccia: inaugura una sorgente.

In mezzo ai trent'anni sono stato spedito in Tanzania da un organismo di volontariato. Nessuno stipendio, bastava il vitto in una mensa e una stanza nel villaggio di destinazione. L'opera consisteva nel montaggio di pale a vento su pozzi abbandonati e sprofondati. Il rifornimento faceva risparmiare alle donne ore di cammino con le giare e le taniche sospese sulla testa.

Per me che le osservavo erano abilità da circo, eseguite con inverosimile eleganza. Due donne alzavano il carico sulla testa di una accovacciata, che si sollevava dritta bilanciando con il collo il peso in bilico. Si avviava cantando.

Mi accorgevo alla rinfusa che l'eleganza del loro portamento era il risultato di uno sforzo governato e ridotto al minimo di energia.

Nelle scuole dove s'insegna alle modelle l'andatura della sfilata in passerella, una volta si poggiavano due libri sulla testa delle allieve che dovevano imparare a camminare senza farli cadere. Il carico serviva solo a produrre un portamento. Le donne di quel villaggio, le donne dell'Africa rurale, erano andate a più severa scuola. La loro grazia era prodotta dall'intelligenza fisica di un corpo messo sotto carico.

L'acqua è il trasporto più difficile, il liquido a ogni passo oscilla e costringe il collo a conservare l'equilibrio.

Ho visto abilità simile tra i portatori nepalesi al soldo delle spedizioni alpinistiche.

Nel villaggio dove fu montata la prima pala a vento l'acqua spuntò e sputò fuori dal pozzo nel silenzio dell'assemblea intorno. Si sentì un rumore di tubo intasato, l'acqua uscì a scatti, colpi di tosse, poi a flusso continuo. Nel ricordo confondo le voci con lo scroscio, sgorgavano insieme l'acqua e l'allegria. Il capo della comunità subito stabilì turni e parti uguali.

Ho visto uscire dalla profondità del mio campo lo zampillo. La perforazione aveva raggiunto la falda. Si inaugurava una sorgente nuova. Non era solo per mia fortuna e fornitura, ma era un dono a tutti. Quella prima acqua andava a spargersi nel campo oltre il recinto. Poi sarebbe salita evaporando a diventare nuvola. Quella sorgente nuova apparteneva a tutti. L'acqua per sua natura nega la proprietà privata.

La domenica il villaggio andava a messa in un posto all'aperto, a mezz'ora di cammino. Il corteo si avviava di buon'ora intonando canti d'accompagnamento. Non sono credente, m'incamminavo con loro per partecipare della loro vita.

Avevo studiato il kiswahili, lingua comune a buona parte dell'Africa orientale. Era necessaria. Anche se la Tanzania, ex Tanganica e Zanzibar, fu sotto dominio inglese, l'indipendenza del 1962 aveva cancellato i segni del regime coloniale, lingua compresa. Il kiswahili era stata dichiarata lingua nazionale. Il riscatto di un popolo comporta anche un vocabolario nuovo. Parlavo lentamente kiswahili con gli uomini riuniti la sera sotto l'albero maestro del villaggio, un mandorlo indiano piantato dai loro antenati, largo di rami e ombra.

Il sole calava a terra svelto sull'orizzonte piatto, da poterne immaginare il tonfo, alle sei, senza tramonto, passando da luce a buio, per ritornare dodici ore dopo. Di sera intorno all'albero maestro gli uomini parlavano bevendo un infuso di erbe. Era l'ora che si prendeva la malaria dalle zanzare infette. Erano febbri condivise, che accorciavano la durata della vita. Mi difendevo con una profilassi a base di chinino, insufficiente.

Così mi avviavo la domenica insieme al corteo. Era festa, i panni erano vivi di colore strigliato con l'acqua spuntata da poco. I canti crescevano di forza avvicinandosi alla radura, dove altri cori già erano raccolti. Diverse centinaia di persone si sistemavano davanti a un altare rialzato, fatto di assi sopra cavalletti. In cielo passavano nuvole più veloci di uccelli.

Me ne stavo appoggiato a un albero ai bordi della radura, mi sedevo su una sediolina pieghevole portata da casa. Me l'aveva suggerita un missionario in ritiro, conosciuto durante il corso preparatorio al viaggio: "Laggiù non ti siedi per terra". Non avevo chiesto perché. Mi trattiene uno stupido puntiglio: se non capisco al volo, peggio per me. Ho poi visto che il suolo d'Africa brulica di vita da lasciare stare, sulla quale si deve passare leggeri.

Durava tre ore la messa. Restavano in pie-

di la gran parte del tempo, qualche volta si ac-
covacciavano sui talloni. Tre ore di canti che
non lasciavano in pace i corpi: al ritmo on-
deggiavano, le braccia salivano in alto, ab-
bracciavano l'aria intorno, scendevano a
prendere slancio.

Mungu è il nome del creatore, in kiswahili.
La *u* più delle altre vocali porta le labbra a somi-
gliare a un bacio. La *u* è affettuosa.

Esistono manifestazioni di fede che costrin-
gono la divinità a esserci. Non sta nelle scritture,
lì c'è una reticente biografia. La sua presenza
non sta dove dovrebbe: nelle parole della predi-
ca, nelle preghiere dette a cantilena. Sta nell'improvviso, dove è esclamata, in coro o in solitudine, presso un bisogno ardente. Mungu stava in
quella radura, convocato senza possibilità di
obiezione da parte sua. Strumento di chiamata
era la voce in canto di quell'assemblea.

Seduto sulla saggia sediolina facevo brevi
sonni dentro i quali i cori diventavano le cor-

namuse degli zampognari, saliti a Montedidio quando le pescherie mettevano sul marciapiede le vasche dei capitoni. Le zampogne erano meglio di un organo da chiesa.

In una radura vicina all'Equatore, a occhi chiusi, venivo spostato nei mesi di dicembre dell'infanzia. Mi spedivano gratis le voci di una folla antica e giovane. Il sacro del mondo lì era sempreverde. Laggiù l'ho sentito cantare.

Di Davide si sa che buttò giù Golia con una sassata sola e che da mezzo millennio se ne sta ignudo alle intemperie nel marmo di Michelangelo. Meno risaputo è che fu il maggiore e il primo dei compositori/suonatori/cantanti dell'antichità.

I suoi versi costituiscono la gran parte della celebre raccolta intitolata *Salmi*. Li suonava sulle cinque corde di budello della cetra e li cantava pure. Da musicista e interprete è stato superiore a chiunque altro nella scrittura sacra.

Ha avuto la forza di incidersi nell'impianto

acustico a più alta fedeltà, l'orecchio umano. Si è così riprodotto in miliardi di copie attraverso le generazioni.

Era di statura scarsa, rosso di capelli e attraente di aspetto. La sua impresa di esordio, fissata nel Primo Libro di Samuele, non fu la micidiale sassata, ma una cantata benefica. Di fronte al re Saul che era soggetto a isterici attacchi di furore, Davide suonò e cantò, placandolo (capitolo 16). Fu musico e guerriero, pastore e rubacuori, latitante e re.

In questa mia rinfusa raccolta di presenze, a lui spetta di rango quel paio di metri di piedistallo sul quale l'ha piazzato Michelangelo.

Quando ho voluto imparare lo yiddish, lingua soffocata nel 1900 in gola ai morti e ai vivi, volevo anche cantarne le canzoni. Ho potuto balbettare le filastrocche, le ninnenanne, le canzoni di strada di Mordecai Gebirtig, il più popolare dei loro autori. Ho tradotto in napoletano il suo *Avreml der marviker*, diventato

Gennaro 'o mariuolo, "in galera p'ave' arrub-bato 'o pane" (*arain in tfise far lakhenen a broit*). Avreml/Gennaro incarna l'alleanza che ho stabilito tra lo yiddish e il napoletano.

Ho pizzicato le corde di *Oifn pripetchik*, strofe di un maestro elementare che insegna ai bimbi a usare le lettere dell'alfabeto per riscaldarsi e ricavare forza.

E poi *Zog nit kamol*... *"Non dire mai ch'è l'ultimo cammino"*, attacco dell'inno dei partigiani del ghetto di Vilna, che si è aggiunto a completare il mio repertorio di Canti della Resistenza, ascoltati sul giradischi di mio padre a Napoli. Le sue note mi procurano la stessa risonanza dell'*Internazionale*, la sola musica sulla quale ho scritto dei versi. Eccoli.

L'Internazionale

Suonata alla fine dei comizi sindacali
era un disco a gracchiare in coda alla parata,
voce di bidelli a chiudere il portone.
Ma cantata di colpo in mezzo ai lacrimogeni
contro lo scioglimento imposto dalla carica
era il barattolo dietro la macchina
                              dell'oggisposi,
violino strimpellato da uno zingaro,
piedi in scarpe bagnate, arrembaggio di
                              grilli,
rumore di storia già accaduta,
scroscio di saracinesche e ruggine in trachea,

scambiarsi di coraggio, chi ne aveva
ne dava fino a rimanere senza,
l'Internazionale era il nostro INVECE.
Nessun urto avveniva solo lì e in quell'ora,
ma faceva catena con il resto del mondo
che si grattava la rogna di potenze coloniali,
di tirannie pasciute, in divisa e stivali.
Suonata dalla Cina al Cile, a Stalingrado,
sopra le macerie del Reichstag a Berlino,
finiva tra noialtri come una nonna messa in
girotondo,
era bella, anche alla sua età, quando
ripetevamo:
"Futura umanità".
C'è morta tra le braccia. Non va cantata più.
Ma se un ubriaco di notte la fischia ai gatti,
se un vecchio trombettiere d'osteria
la risoffia con tutta l'asma ai bronchi,
in quel momento risusciterà.

(da *L'ospite incallito*, Einaudi)

"La letteratura è stata una forma di resistenza?" (da un'intervista di Nadia Angelucci su "Il Calendario del Popolo").

"Certo, ma prima bisogna scegliere di resistere."

La risposta è di Mauricio Rosencof, ottantenne, scrittore uruguayano, figlio di immigrati polacchi. È stato un guerrigliero tupamaro, prigioniero per dodici anni in regime di isolamento a tenuta stagna, durante la dittatura.

La sua risposta viene da sperimentata competenza e non si può aggirare: prima viene la volontà di resistere, poi succede di estrarre fibre di tenacia dall'albero di carta della letteratura.

I suoi carcerieri gli concessero foglio e matita perché gli chiedevano di scrivere lettere d'amore alle loro fidanzate. Intanto proseguivano gli interrogatori a base di tortura. Il 1900 è stato un secolo di prigioni, con bizzarrie non immaginabili dalla letteratura. Al suo meglio ha potuto trasformarle in materia di canto.

Per la musica le cose stanno messe uguali. Prima di diventare espressione di una resistenza, bisogna che lo sia la vita del musico. Gianni Morandi lanciò negli anni settanta le strofe di *C'era un ragazzo che come me amava i Beatles e i Rolling Stones*, riferite a un cantante americano spedito a distruggersi nella guerra del Vietnam. Il movimento che si batteva da anni a fianco della lotta d'indipendenza respinse rumorosamente l'invasione di campo del cantante e il tentativo commerciale.

Opposto il caso del ferroviere anarchico

scritto da Guccini: esegue un suicidio kamika-ze scagliando la sua locomotiva contro un convoglio di "signori". Oggi la pubblica opinione rabbrividisce a ogni attentato suicida. Quarant'anni fa la locomotiva di Guccini ne esaltava il gesto e veniva cantata a gola piena da una generazione in rivolta.

Più indietro ancora la scrittura sacra convalida il gesto suicida di Sansone che scardina le colonne del palazzo dei Filistei e si seppellisce nel crollo insieme a loro.

Esempi di valore politico canoro presi a casaccio di memoria: Vladimir Vysockij nella Russia sovietica, Boris Vian con *Il disertore* in Francia, Wolf Biermann nella Germania dell'Est, i cantanti brasiliani in esilio durante la dittatura: scrivono versi anarchici e ci mettono musica, faccia e voce. Contro ogni censura le loro canzoni dilagano.

Succede che quei governi di granito finiscono sbriciolati come meringhe. Succede che la letteratura e la musica sono state artefici delle loro demolizioni, grazie alle vite spese controvento. *Caminhando contra o vento* è appunto una strofa di una canzone di Caetano Veloso, uno di quelli, cioè dei nostri. *Camminando controvento senza sciarpa e documento/ me ne vado nel sole di quasi dicembre.* Era il '67, premessa di esilio per molta gioventù espulsa dalla dittatura.

Delle migliaia che ho conosciuto negli anni settanta, la gran parte li ho dimenticati. Sono stati l'ultima generazione rivoluzionaria di un secolo che si è mosso con le rivoluzioni su scala di pianeta. L'Antartide è il solo continente non coinvolto.

Una piccola parte l'ho voluta cancellare per incompatibilità di scelte successive. Conservo affetto per una manciata di nostri rimasti leali con le ragioni della loro gioventù in rivolta.

Ho scritto dei racconti su quel temporale.

Lo chiamo così per vizio di enigmista che gioca con le parole. Perché è stato un tempo orale. Gli scritti sono venuti dopo. Ho aggiunto la mia parte alla quantità pubblicata.

Per una prigioniera di lunga durata ho scritto una ballata. Ci ho messo una musica semplice e per un mucchio di anni sono andato in giro a cantarla. La considero la mia più lunga serenata sotto finestre sbarrate. Anche se non poteva affacciarsi, lei sapeva che c'era. In prigione le voci vanno più svelte che fuori.

La prigioniera è uscita dalla ferraglia delle reclusioni. Ha scontato intero il debito penale assegnato, è tornata all'aperto dopo la residenza di sei Olimpiadi in cella.

Mi piace sapere che quella ballata per lei è scaduta. Continua a essere attuale per Rita Algranati, acciuffata in ritardo e aggiunta a tempo scaduto all'inutile discarica penale del 1900.

Tenere la nuca ben appoggiata al muro. Oggi è assai raro tra noi sapere a cosa si rife-

risce la raccomandazione. In caso di bombar-
damento aereo: la gran parte muore per l'urto
violentissimo dell'aria spostata dall'esplosio-
ne. Allora basta un millimetro di distanza tra
la nuca e il muro per sfracellarla.

Bisogna appoggiare con forza la testa alla
parete. Questa è per me anche la raccomandazione per l'uso della poesia. Quando si sta con
le spalle al muro, perché essa sia efficace e utile
al bisogno non dev'esserci aria, distrazione,
tra la testa e l'appoggio. Dov'è urgente la poesia, non c'è millimetro per altro.

Credo che succeda qualcosa di simile per
chi ricorre alla preghiera.

Aggiungo questa nota alla musica provata
perché nell'ultima primavera del 1900 stavo
a Belgrado sotto la scarica di bombe, razzi e
missili vari della Nato. C'ero andato per furia
contro il mio paese che si metteva al servizio
di bombardamenti di città. Ero avvilito dal
clima favorevole a quelle spedizioni, dove famiglie di brave persone andavano spensiera-
te nel fine settimana a fare il picnic intorno

alla base di Aviano, da dove decollavano le formazioni aeree. L'informazione televisiva celebrava i decolli e i bombardieri con i servizi di apertura. Una guerra di lusso con i caduti da una parte sola, comodamente uccisi a casa loro.

A Belgrado si svolgeva la chiusura a saracinesca di un'epoca. Suonava l'ultima sirena di allarme, che ha accompagnato il secolo dell'elettricità, sostituendo le campane a stormo. Alzava a grido la stessa nota che aveva stracciato i sonni di mia madre, ragazza di Napoli al tempo del terrore.

Abitavo una stanza dell'Hotel Moskva e non scendevo al ricovero quando iniziava il crollo del cielo sulla terra. Non ero un belgradese, ma un intruso. Venivo dal paese che li stava bombardando senza nemmeno disturbarsi a dichiarare guerra.

Con la nuca appoggiata alla parete, la finestra aperta per proteggere i vetri, sentivo battere la più potente grancassa della mia vita. La città era spenta, ma il buio non poteva nasconderla: bersaglio dell'ultimo tiro a segno del 1900.

Ero lì per stare, nient'altro da fare che stare. Non ho scritto neanche un rigo, impedito da collera e da insonnia. Serravo inutilmente le palpebre, restavano le orecchie allo scoperto.

Immaginavo qualcun altro lontano da lì che a occhi chiusi e a udito beneducato, in una sala, con uguale concentrazione stava ascoltando un concerto.

Un verso di Osip Mandel'štam apparso alla memoria da chissà dove faceva da commento: *Questa notte è irreparabile/ e da voi è ancora chiaro.*

Sono uno del Mediterraneo, che non è Sud né Nord, né Oriente né Occidente. È il ventre liquido tra Asia, Africa e Europa. Chi è nato su un suo bordo ha nel sangue un arcipelago di popoli.

Abbiamo ricevuto dal Mediterraneo le voci della civiltà: vocabolari, arti, ingegnerie, alimenti, bevande, religioni, idrauliche, legislature e modi di scrutare l'orizzonte delle stelle.

Attraverso lo spargimento di invasioni, esili, epidemie, condividiamo il sistema immunitario e gli incubi dovuti alle tossi convulse del sottosuolo.

Non abbiamo in comune i calendari, suddivisi tra chi misura l'anno sulla parabola del sole e chi lo conta sul ciclo della luna.

Dalle terre del Nord, dalla cresta di gallo delle Alpi, è venuto soltanto il periodico sciame degli eserciti nei mesi del disgelo. Dai mari del Nord abbiamo ricevuto una, e una sola, dote: il merluzzo, essiccato a stoccafisso o salato a baccalà.

Sul Mediterraneo, mio mare e mio coetaneo, vedo viaggiatori del mio stesso cespuglio genealogico. Che vengano dall'Africa o dall'Asia, chiunque è mio parente. Ascolto il loro viaggio, il seguito di Ulisse, che non punta su Itaca, però da lì proviene. Attraverso i racconti di chi si è accampato sotto una buona stella o dietro la rete di un campo di concentramento, riconosco i semidèi contrari, i venti di traverso, le fortune distribuite dall'elemosina di sua maestà il casaccio.

Sui loro piedi ho scritto il mio accompagnamento. Non tra i loro piedi accatastati, dove non c'è spazio neanche per la loro ombra. Il *Canzoniere Grecanico Salentino*, nato nel secolo in cui emigravamo noi, composto da discendenti di scomparsi in oltremare, ha messo canto e musica su una mia pagina svolazzata dietro l'azzardo di chi, senza ritorno, ha solo andata.

Con queste righe rispondevo alla richiesta di Antonella Ruggiero per delle mie parole da mettere in musica.

L'Italia è una parola aperta
spalancata come le sue coste

abbordata da mari e civiltà
venute dai quattr'angoli del vento.
E non è uno stivale da calzare,
ma un braccio che si sporge
dall'attaccatura delle Alpi.
La Puglia e la Calabria sono la mano aperta
e la Sicilia un fazzoletto che saluta al vento.
Nessuno potrà stendere filo spinato in mare,
chiuderla in una Svizzera del Sud.
Noi siamo Italia, una parola aperta.

Così è stato, quelle parole mute sono diventate una canzone e hanno trovato ospitalità nelle corde vocali più cristalline della canzone italiana.

Intanto da noi arrivano con mezzi di fortuna dei musicisti in fuga da graticole di guerre e tirannie. Tra di loro potrebbe esserci un Caetano Veloso, un Chico Buarque de Hollanda, che negli anni della dittatura brasiliana vagabondarono nelle nostre strade. Tra loro esistono talenti ingiganditi dal bisogno. Ecco anche la Med Free Orkestra che ha voluto prendere spunto dalle mie pagine di *Sola andata* e che ha voluto la mia voce incisa nel suo primo album.

A uno che scrive storie capita qualche rara volta uno di questi omaggi immensi.

Negli anni di lavoro operaio mi sono trovato in vari posti strani e poco adatti all'uso della musica. Eppure in certe ore centrali del turno, con il corpo che andava dietro a macchinari e attrezzi, mi saliva dalla periferia alle labbra una frase musicale. Nel frastuono delle grandi frese sulla pedana delle otto ore chiuse in officina mi spuntava un controcanto in gola. Non era di rivolta, né di opposizione: era accompagnamento.

Ero nei miei trent'anni, dentro la tuta, con le mani impastate di lubrificante, e finalmente capivo il canto di Filomena.

L'anziana donna di servizio, ischitana, accendeva il volume della sua voce acuta mentre lavava i nostri pavimenti, lustrava i vetri, sciacquava le stoviglie. Da bambino quel canto mi sembrava impossibile, che aveva da cantare quella donna soggetta alla fatica?

E dal palazzo nuovo che cresceva di piani accanto al nostro, d'improvviso tra polvere e fracasso spuntava la melodia solitaria di un muratore a gola piena: non durante l'intervallo di mensa, ma in orario di lavoro. Mi confondeva un'allegria così fuori di posto, lontana da una tavolata, da una festa.

L'ho capita dopo e su di me: non era allegria. Era lo sfiato musicale del corpo sotto pressione costante, che prendeva il ritmo dell'attrezzo o della macchina, un'andatura a tempo tra respiro d'entrata e fiato di uscita. Quello stantuffo aveva un suo solfeggio naturale. Il canto partiva da solo, prima sommesso in gola e poi scandito dalle corde vocali.

Sui cantieri all'aperto, sotto i neon di officina, in qualunque clima il corpo reagiva alla fatica con una risposta musicale. Sotto la direzione della macchina cuore/polmoni diventava orchestra. Il tuffo del sangue che dirama ossigeno fino ai capillari, il suo ritorno al cuore producono la cadenza di un tamburo antico, imitato dai primi strumenti musicali, che furono a percussione. I tamburi imitano il battito del turno di lavoro e anche quello percepito dal bambino in grembo.

Ho capito dopo e su di me da dove usciva il canto di Filomena mentre strigliava le mattonelle del pavimento accovacciata in terra, stendeva al balcone i panni fradici, perseguitava la polvere in qualunque angolo andasse a nascondersi. Era il canto generale del corpo sottoposto a fatica, la sua risposta pratica che gli permetteva di amministrare al meglio l'energia erogata.

Ho cercato nel tempo passato la conferma. Nelle piantagioni di cotone, nella posa dei binari ferroviari, nei lavori forzati delle prigioni, gli schiavi negri intonavano cori. Una voce partiva con una strofa e le rispondeva l'insieme delle altre. Avevano anche la preziosa funzione di proteggere gli operai più deboli, perché i guardiani non percepivano il rallentamento del ritmo di lavoro coperto dal canto. La musica non era passatempo ma l'angelo custode degli schiavi.

Ne facevano uso i marinai che si davano il ritmo con il canto mentre issavano vele, tiravano l'ancora con il verricello.

Nella Russia zarista i servi cantavano la *dubinuška*, un canto di lavoro che passò poi a nuove strofe con la rivoluzione del 1905. *No nastanèt porà* (ora che arriva il tempo) *i prosniètsia naròd* (e il popolo si sveglia). Nikolaj Rimskij-Korsakov, compositore, l'ascoltò intonata dalla folla in marcia sul boulevard Tverskoj e la trasformò in partitura per orchestra.

La forza lavoro, secondo Marx, produce plusvalore per il capitale. Io so che sul momento produce il canto come valvola di scappamento della pressione. Il corpo è il più antico strumento musicale.

Sui cantieri quando battevo le ore con mazza e scalpello mi accorgevo di obbedire a un ritmo. Mi ripetevo allora il canto degli operai impegnati a riparare le mura di Gerusalemme. Si trova nel Libro di Nehemia, che fu ingegnere capo di quella ricostruzione. È un'alternanza di sette sillabe seguite da una strofa di cinque. Non è il caso di citarle qui. Mi hanno tenuto compagnia, mi hanno riempito il fiato, mi hanno dato sollievo. A un canto non si può chiedere di più. Per giunta veniva senza richiesta, veniva e basta, come la brezza soffiata da chissà dove che passa sul sudore della fronte la sua carezza fresca.

Non faccio più mestieri di operaio, ma quella musica del corpo l'ho ritrovata ancora quando vado in montagna, scalo una parete.

Non subito all'attacco ma più su, quando i movimenti sopra appigli e appoggi si sono fatti fluidi, mi sale nel fiato la strofa di qualche canzone. Allora la canticchio e rigoverno il ritmo del respiro che presiede agli sforzi felici dell'arrampicata.

Esiste una musica del corpo che esce dalle labbra senza scomodare l'intenzione.

È il canto di Filomena, la più strepitosa manifestazione d'indipendenza dell'orchestra di organi che abitiamo.

Cantami dea, chiese il poeta cieco alla sua fonte.

No, qui non c'è la dea alla quale rivolgermi a palpebre serrate per ascoltare il canto. Ho già ascoltato, ho già dimenticato.

Qui c'è un pozzo profondo che a buttarci un sasso finisce ingoiato senza un rumore, come una pillola.

Qui c'è una voragine a imbuto. Mi affaccio sul bordo e ricordo.

Qui sono piovute le musiche, ognuna stava in grembo a qualche nuvola. Ogni canzone è stata prima scroscio e le sue note gocce.

Nel fondo del pozzo si sono mischiate.

Hanno voluto un bel po' di silenzio per affiorare, riprovare allo specchio i panni di vapore e di vento del nostro primo incontro.

Erri De Luca per Feltrinelli

Non ora, non qui (1989, nuova edizione ampliata 2009)
Un'infanzia che non tornerà più, Napoli sullo sfondo,
lo struggimento di una vita che ci rende estranei a noi
stessi, e al nostro passato.

Una nuvola come tappeto (1991)
Un invito a leggere la Bibbia, cercando in ogni passo
ciò che è stato scritto per noi, per lasciarci trovare tra
quelle righe.

Aceto, arcobaleno (1992)
Un eremita dai capelli ormai bianchi rievoca tre ami-
ci di gioventù. Il primo è stato terrorista e muratore, il
secondo ha scelto la via della religione, il terzo è un vagabondo...

In alto a sinistra (1994)
Giovinezza a Napoli, lavoro operaio e ricerca di altro.
"Le storie di questo libro stanno nel perimetro di quattro cantoni: un'età giovane e stretta, di preludio al fuoco; una città flegrea e meridionale; la materia di qualche libro sacro; gli anni di madrevita operaia di uno
che nacque in borghesia."

Alzaia (1997; nuova edizione aggiornata in UE 2007)
Dalla A di Agguati alla Z di Zingari, un libro "per voci", come un vocabolario. In realtà, è la festa di un "lettore solitario". Un esercizio per non perdere la memoria.

Tu, mio (1998)
In un'isola del Tirreno, in mezzo agli anni cinquanta, un pescatore e una giovane donna trasmettono a un ragazzo la febbre del rispondere, che segna il duro passaggio all'età adulta.

Tre cavalli (1999)
La vita di un uomo dura quanto quella di tre cavalli, dice una filastrocca dell'Appennino emiliano. Da qui lo spunto per la storia di un'esistenza tumultuosa, tra lotte operaie a Torino, guerriglia e amore in Argentina, fuga in Patagonia e nelle Falkland, il ritorno in patria e un nuovo incontro.

Montedidio (2001)
Un quartiere di vicoli a Napoli: Montedidio. Un ragazzo di tredici anni che va a bottega dal mastro falegname. Una vita nuova scritta su una bobina di carta. Un boomerang da portare sempre con sé. E poi don Ra-

faniello, lo scarparo, che rivela il suo segreto, e Maria, che ha tredici anni e fa innamorare.

Il contrario di uno (2003)
"Due non è il doppio ma il contrario di uno, della sua solitudine. Due è alleanza, filo doppio che non è spezzato." Venti racconti e un poemetto in versi.

Solo andata. Righe che vanno troppo spesso a capo (2005)
Il drammatico viaggio di un gruppo di emigranti clandestini verso i "porti del nord". Un poema scabro, tragico, potente. Un grande romanzo in versi. La scommessa della parola poetica di fronte a una materia (umana, civile, sociale) quasi "intrattabile" che qui diventa disegno delle sorti del mondo.

In nome della madre (2006)
Il piccolo libro del Natale, del nascere al mondo e alla vita. L'enorme mistero della maternità. Una storia di Maria che restituisce alla madre di Gesù la meravigliosa semplicità di una femminilità coraggiosa, la grazia umana di un destino che la comprende e la supera.

Il peso della farfalla (2009)
Una farfalla bianca sta sul corno del re dei camosci, un fucile sta a tracolla del vecchio cacciatore di montagna. Li attende un duello differito negli anni. Più che la loro sorte, qui si decide la verità di due esistenze opposte... Il racconto della radicalità della natura, dell'"antichità" del conflitto tra uomo e animale.

Il giorno prima della felicità (2009)
I sentimenti, il corpo, il sesso, la gelosia, l'onore, la morte, il sangue e l'esilio... Il riscatto di Napoli attraverso la formazione di un giovane orfano che cresce alla scuola di don Gaetano, diventando testimone dei giorni della rivolta della città alla fine dell'occupazione tedesca.

E disse (2011)
E disse: con questo verbo la divinità crea e disfa, benedice e annulla. Dal Sinai che scatarra esplosioni e fiamme, vengono scandite le sillabe su pietra di alleanza. Mosè, primo alpinista, è in cima al Sinai. Inizia così il suo corpo a corpo con la più potente manifestazione della divinità.

I pesci non chiudono gli occhi (2011)
Un uomo, cinquant'anni dopo, torna coi pensieri su una spiaggia dove gli accadde il necessario e pure l'abbondante. Le sue mani di allora, capaci di nuoto e non di difesa, imparano lo stupore del verbo mantenere, che è tenere per mano.

Il torto del soldato (2012)
Erri De Luca guarda alla Kabbalà attraverso gli occhi di un ex soldato nazista. La storia di una ossessione e di una rivoluzione silenziosa.

La doppia vita dei numeri (2012)
Una commedia quasi eduardiana. Una tombolata con fantasmi. Mentre Napoli è soffocata dalla luce dei fuochi di artificio.

Ti sembra il Caso? Schermaglia fra un narratore e un biologo (con Paolo Sassone Corsi; 2013)
Un generoso tentativo di gettare un ponte fra poesia e scienza, fra la ricerca in laboratorio e la ricerca dentro di sé e nel mistero della parola che ci interpreta. C'è il calore dell'amicizia. C'è l'elastico comunicativo della distanza che avvicina due linguaggi apparentemente diversi.

Storia di Irene (2013)
Tre storie di mare. Tre "preghiere" lanciate nell'immenso. Il mare vi figura come mare dell'amore, come mare che porta salvezza, come mare che rigenera. Il libro si apre con una nascita e si chiude con una morte – la donna-delfino della prima storia si allontana nelle acque a partorire, il vecchio dell'ultima storia cede al mare acceso dal sole il suo ultimo respiro.

Per "I Classici" Feltrinelli ha tradotto e curato

Esodo/Nomi (1994)
"Un libro sacro, un'avventura per anime in fiamme e in travaglio, non per quieti": il libro più suggestivo dell'Antico Testamento, tradotto come se non fosse stato mai fatto prima.

Giona/Ionà (1995)
Libro minimo per numero di versi e immenso per deposito di leggende. Narra di Giona e del suo nome, dei giorni nella pancia della balena, della sua liberazione. E di Ninive, la città-donna, l'insonnia dei profeti.

Kohèlet/Ecclesiaste (1996)
La provvidenza ha voluto che questo libro rientrasse nel canone sacro. Lo si legge per grazia di questa assunzione, ma un lettore sempre si chiede cosa ci stia a fare Kohèlet nell'Antico Testamento. E si risponde, se crede: "amen", verità.

Libro di Rut (1999)
"Dal grembo di Rut passerà la stirpe di Davide e dunque del Messia. Nessun angelo la avvisa e nessun sogno, ma basta la sua pura volontà di essere sposa e madre in Israele."

Vita di Sansone (2002)
"L'amore della filistea Dlilà e dell'ebreo Shimshòn scavalca le trincee, scombina le linee. È impolitico, inservibile ai calcoli, perciò perseguitato. Però dura, resiste più che può all'assedio, e anche quando cede, non tradisce."

Vita di Noè/Nòah (2004)
Genesi/Bereshìt, 6,5-9,29: la storia di Nòah/Noè. "Il creato si disfa sotto la più schiacciante alluvione. Da allora sussiste il secondo mondo. Dio ha annullato la

sua prima stesura della vita..." Ma "Dio è uno, la vita no".

L'ospite di pietra di Puškin (2005)
"Puškin scrive questa piccola tragedia in versi contro se stesso... Alla fine di questo atto di accusa contro il genere maschile, Puškin ha espiato. Per chi prende assai sul serio le parole, scrivere è scontare."

Sempre per Feltrinelli, ha pubblicato con Gennaro Matino

Mestieri all'aria aperta. Pastori e pescatori nell'Antico e nel Nuovo Testamento (2004)
Nell'Antico come nel Nuovo Testamento tutto si svolge fuori, all'aria aperta. Battaglie, amori, preghiere, sacrifici. Predicazioni, miracoli, morte e resurrezione. Anche la vita quotidiana. Anche il lavoro. Il tempo di Abele, pastore. Il tempo di Pietro, pescatore. La terra, l'acqua. Il nostro destino.

Almeno cinque (2008)
Vista, udito, tatto, gusto, olfatto. Gli apostoli vedono Dio, lo toccano, sentono la sua voce, ne percepiscono il profumo, condividono il pane nell'ultima cena. La fisicità della divinità deve essere presa alla lettera. La meravigliosa concretezza dei sensi letta attraverso i testi della scrittura sacra.